Les animaux de Lou

Tu es libre, Petit Éléphant!

...pour les enfants qui apprennent à lire

Le texte à lire dans les bulles est conçu pour l'apprenti lecteur. Il respecte les apprentissages du programme de CP :

 le niveau TRES FACILE correspond aux acquis de septembre à décembre,

 le niveau FACILE correspond aux acquis de janvier à juin.

Cette histoire a été testée à deux voix par Francine Euli, enseignante, et des enfants de CP.

Cet ouvrage est un niveau Très Facile.

MIXTE
Papier issu de
sources responsables
FSC® C022030

© 2012, Éditions NATHAN, SEJER, 25 avenue Pierre de Coubertin, 75013 Paris
Loi n° 49-956 du 16 juillet 1949 sur les publications destinées à la jeunesse,
modifiée par la loi n° 2011-525 du 17 mai 2011.
ISBN : 978-2-09-254030-5
N° éditeur : 10202097 - Dépôt légal : août 2012
Imprimé en décembre 2013 par Pollina, Luçon, 85400, France - L66646A

Tu es libre, Petit Éléphant!

Texte de Mymi Doinet

Illustré par Mélanie Allag

Pour les vacances, Lou va découvrir
la savane! Elle est reçue par Badou,
le petit Africain, et son papa, le gardien
de la grande réserve.

Sous le soleil, il fait déjà très chaud.
Badou lui conseille :

Mets
ta casquette !

Une famille d'éléphants vient
de s'arrêter à l'ombre
des baobabs.
Lou chuchote :

Je les dessine
sur mon cahier.

Mais l'éléphanteau du troupeau s'approche, et il barrit avec sa trompe en trompette. Que veut-il donc dire?

Heureusement, Lou a le pouvoir
de comprendre les animaux ;
l'éléphanteau trouve sa grand-mère
beaucoup trop sévère !
La vieille éléphante agite ses oreilles
qui claquent au vent.

C'est l'heure de dormir !

L'éléphanteau n'a pas sommeil, il veut jouer.

Qu'a-t-il trouvé là-bas ?

Oh ! c'est un œuf d'autruche.

Ce n'est pas un ballon !

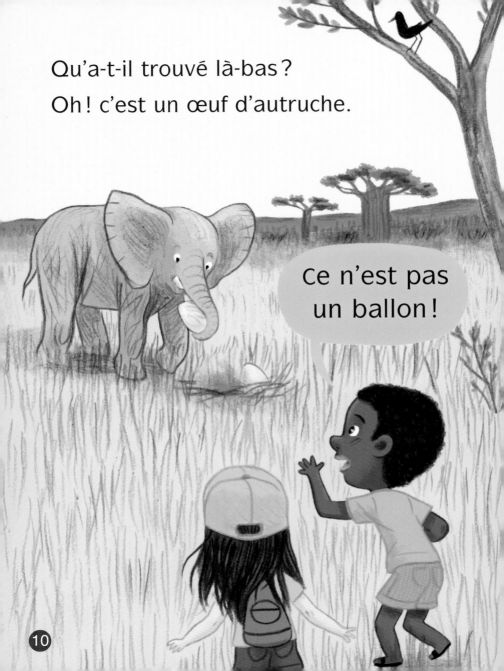

Badou le rattrape et Lou se fâche.

À la poursuite de son œuf-ballon, pataplouf! Petit Éléphant plonge dans un marécage.
Lou et Badou le mettent en garde :

Sors de là, il y a des crocodiles!

Soudain, pan, pan !
des coups de fusil résonnent.

Inquiète, Lou tempête :

Ne va pas par là, tu es trop têtu !

Taratata! L'éléphanteau n'écoute pas.
Dégoulinant de boue, zou! il court après
un girafon et s'éloigne loin, très loin.

Brusquement, pataclang !
l'éléphanteau tombe dans
un énorme trou.

Oh non !

Les braconniers ricanent, prêts à scier
les défenses du jeune éléphant.

Petit Éléphant est prisonnier,
mais il n'est pas muet.
Il barrit fort, si fort que les bandits
ont les oreilles qui pleurent!

Alertée par les cris de l'éléphanteau,
sa grand-mère fonce vers lui en soulevant
un énorme nuage de poussière.

Au galop !

La super mamie de la savane a besoin
de renfort ! Lou appelle un zèbre et
monte dessus à califourchon avec Badou.

Mais… catastrophe! Lorsque Lou, Badou et l'éléphante arrivent près du piège, les braconniers menacent avec leurs fusils. Coincé au fond de sa prison de terre, Petit Éléphant pleure.

Lou ordonne alors aux babouins
du coin :

Vite, vite,
aidez-nous !

Aussitôt, sbing! les singes bondissent
sur les bandits, pour chiper leurs fusils.

Apeurés, les brigands se sauvent.
Au même instant, un moteur vrombit...

… C'est le papa de Badou, qui roule à leur poursuite. Il saute de sa moto, et clang! il menotte les braconniers. Fini le danger!

La mamie éléphante s'approche du piège.
Aidée de Lou et des enfants du village,
elle creuse un passage dans la terre.

Tu es libre
Petit Éléphant !

Sous les baobabs, les éléphants
se reposent enfin, bercés
par le tam-tam de Badou
et de son papa.

Fatigué, Petit Éléphant suce
en douce sa trompe
comme un pouce.

Fini les bêtises!

Lou te dit tout sur l'éléphant

C'est le géant de la savane

À la naissance, l'éléphanteau pèse près de 100 kilos et il tète 13 litres de lait par jour. Adulte, l'éléphant d'Afrique pèsera jusqu'à 6 tonnes, c'est autant que le poids de 6 voitures.

La mamie guide le troupeau

La femelle la plus âgée marche en tête et commande, suivie des mamans et de leurs petits. Les mâles adultes vivent leur vie seuls, loin du groupe.

Une trompe bien pratique

Sa trompe, c'est son nez et sa main. Elle lui permet de respirer, de cueillir des feuilles ou des fruits, et de soulever des troncs d'arbres. Elle lui sert de tuba sous l'eau, et aussi de paille pour boire et de douche, car elle peut contenir 8 litres d'eau.

Ses défenses, ce sont ses dents du haut

L'éléphanteau a des défenses de lait. À 3 mois, elles tombent. Elles sont remplacées par des défenses qui grandiront sans arrêt. Au cours de sa vie, l'éléphant va les user : il s'en servira pour creuser la terre ou déterrer les racines.

Cruellement pourchassé

Longues et solides, les défenses peuvent mesurer 3 mètres. Elles sont en ivoire, comme tes dents. Les braconniers attaquent les éléphants pour scier leurs défenses dans lesquelles seront sculptés des bracelets, des colliers et des statues.

À la rentrée de septembre, les enfants de CP entrent doucement en lecture. Afin de les accompagner dans cette découverte et d'encourager leur plaisir de lire, Nathan Jeunesse propose la collection **Premières lectures**.

Chaque histoire est écrite avec des **bulles**, très simples, et des **textes**, plus complexes, dont les sons et les mots restent toujours adaptés aux compétences des élèves dès le CP.

Les ouvrages de la collection sont tous **testés** par des enseignants et proposent deux niveaux de difficulté : **Très Facile** et **Facile**.

Cette collection est idéale pour la mise en place d'une **pédagogie différenciée**, mais aussi pour une **lecture à deux voix**. Elle permet en effet de mêler la voix d'un «lecteur complice», que la lecture des textes rend narrateur, à celle d'un enfant qui se glisse, en lisant les bulles, dans la peau du personnage.

Un moment privilégié à partager en classe ou en famille !

Et après les **Premières lectures**, découvrez vite les **Premiers romans** !

Nathan © 2012, illustrations de M. Allag, Z. Zo